RECETTES FAIBLES EN GRAS EN 30 MINUTES

Un livre de cuisine faible en gras avec plus de 50 recettes simples et rapides

Jennifer Denis

Tous les droits sont réservés.

Avertissement

RÉSUMÉ

INTRODUCTION

Un régime faible en gras réduit la quantité de graisse ingérée par les aliments, parfois de manière drastique. En fonction de la mise en œuvre extrême de ce régime ou de ce concept nutritionnel, seuls 30 grammes de matières grasses peuvent être consommés par jour.

Avec une alimentation complète conventionnelle selon l'interprétation de la Société allemande de nutrition, la valeur recommandée est plus du double (environ 66 grammes ou 30 à 35 pour cent de l'apport énergétique quotidien). En réduisant considérablement les graisses alimentaires, les kilos devraient chuter et / ou ne pas reposer sur les hanches.

Bien qu'il n'y ait pas d'aliments interdits en soi avec ce régime: avec la saucisse de foie, la crème et les frites, vous avez atteint votre limite quotidienne de graisse plus rapidement que vous ne diriez "loin d'être plein". Par conséquent, pour un régime à faible teneur en matières grasses, les aliments à faible teneur en matières grasses doivent se retrouver principalement ou exclusivement dans l'assiette, de préférence les «bonnes» graisses telles que les huiles de poisson et végétales.

QUELS SONT LES AVANTAGES D'UNE RÉGIME FAIBLE EN GRAS?

Les graisses fournissent des acides gras essentiels (essentiels). Le corps a également besoin de graisse pour pouvoir absorber certaines vitamines (A, D, E, K) des aliments. Éliminer complètement les graisses de votre alimentation ne serait donc pas une bonne idée.

En fait, en particulier dans les pays riches en industrie, on consomme beaucoup plus de graisses chaque jour que ce que recommandent les experts. Un problème avec cela est que la graisse est particulièrement riche en énergie: un gramme contient 9,3 calories et donc le double d'un gramme de glucides ou de protéines. Un apport plus élevé en graisses favorise donc l'obésité. De plus, on dit que trop d'acides gras saturés, comme ceux du beurre, du saindoux ou du chocolat, augmentent le risque de maladies cardiovasculaires et même de cancer. Manger des régimes faibles en gras pourrait éviter ces deux problèmes.

ALIMENTS FAIBLES EN GRAS: TABLEAU DES ALTERNATIVES MAIGRES

La plupart des gens doivent savoir qu'il n'est pas sain de faire le plein de graisse incontrôlée. Les sources évidentes de graisse telles que les bords de graisse sur la viande et les saucisses ou les lacs de beurre dans la casserole sont faciles à éviter.

Cela devient plus difficile avec les graisses cachées, comme celles que l'on trouve dans les bonbons ou les fromages. Avec ce dernier, la quantité de matière grasse est parfois appelée pourcentage absolu, parfois «% FiTr», c'est-à-dire la teneur en matière grasse de la matière sèche qui se forme lorsque l'eau est éliminée des aliments.

Pour un régime faible en gras, vous devez faire attention, car un fromage blanc à la crème avec 11,4% de matières grasses a une teneur en matières grasses inférieure à un avec 40% de fiTr. Les deux produits ont la même teneur en matières grasses. Des listes d'experts en nutrition (par exemple la DGE) permettent d'intégrer le plus facilement possible une alimentation faible en gras dans la vie de tous les jours et d'éviter les risques de trébuchement. Par exemple, voici un au lieu d'une table (aliments riches en matières grasses avec des alternatives faibles en matières grasses):

Les aliments riches en matières grasses

Alternatives faibles en gras

Beurre

Fromage à la crème, fromage blanc aux herbes, moutarde, crème sure, concentré de tomate

Frites, pommes de terre sautées, croquettes, crêpes de pommes de terre

Pommes de terre au four, pommes de terre au four ou pommes de terre au four

Poitrine de porc, saucisse, oie, canard

Veau, chevreuil, dinde, escalope de porc, -lende, poulet, magret de canard sans peau

Lyoner, mortadelle, salami, saucisse de foie, boudin noir, bacon

Jambon cuit / fumé sans bord gras, saucisses maigres telles que jambon de saumon, poitrine de dinde, viande rôtie, saucisse aspic

Alternatives sans gras à la saucisse ou au fromage ou à accompagner avec eux

Tomate, concombre, tranches de radis, laitue sur pain ou même tranches de banane / quartiers de pomme fins, fraises

Bâtonnet de poisson

Poisson cuit à la vapeur faible en gras

Thon, Saumon, Maquereau, Hareng

Morue à la vapeur, lieu noir, haddock

Lait, yogourt (3,5% de matière grasse)

Lait, yogourt (1,5% de matière grasse)

Crème de quark (11,4% de matière grasse = 40% de fiTr.)

Quark (5,1% de matière grasse = 20% FiTr.)

Fromage à la crème double (31,5% de matière grasse)

Fromage étagé (2,0% de matière grasse = 10% FiTr.)

Fromage gras (> 15% de matière grasse = 30% FiTr.)

Fromages allégés (max.15% de matière grasse = max.30% de fiTr.)

Crème fraîche (40% de matière grasse)

Crème sure (10% de matière grasse)

Mascarpone (47,5% de matière grasse)

Fromage à la crème granuleux (2,9% de matière grasse)

Gâteau aux fruits avec pâte brisée

Gâteau aux fruits avec levure ou pâte éponge

Gâteau éponge, gâteau à la crème, biscuits au chocolat, pâte brisée, chocolat, barres

Des desserts maigres comme du pain russe, des doigts de dame, des fruits secs, des oursons en gélatine, de la gomme aux fruits, des mini bisous au chocolat (attention: le sucre!)

Crème de nougat aux noix, tranches de chocolat

Fromage à la crème granuleux avec un peu de confiture

des croissants

Bretzels croissants, petits pains complets, viennoiseries au levain

Noix, chips

Bâtonnets de sel ou bretzels

Crème glacée

Glace aux fruits

Olives noires (35,8% de matière grasse)

Olives vertes (13,3% de matière grasse)

RÉGIME FAIBLE EN GRAS: COMMENT ÉCONOMISER DES GRAISSES DANS LA FAMILLE

En plus de l'échange d'ingrédients, il existe quelques autres astuces que vous pouvez utiliser pour intégrer un régime faible en gras dans votre vie quotidienne:

La cuisson à la vapeur, le ragoût et les grillades sont des méthodes de cuisson faibles en gras pour un régime faible en gras.

Cuire dans le Römertopf ou avec des casseroles spéciales en acier inoxydable. Les aliments peuvent également être préparés sans gras dans des casseroles enduites ou en papier d'aluminium.

Vous pouvez également économiser de la graisse avec un pulvérisateur à pompe: versez environ la moitié de l'huile et de l'eau, secouez-la et vaporisez-la sur le fond de la poêle avant de la faire frire. Si vous n'avez pas de pulvérisateur à pompe, vous pouvez graisser le pot avec une brosse - cela économise également de la graisse.

Pour un régime faible en gras dans les sauces à la crème ou les ragoûts, remplacez la moitié de la crème par du lait.

Laisser refroidir les soupes et les sauces, puis retirer le gras de la surface.

Préparez les sauces avec un filet d'huile, de crème sure ou de lait.

Le bouillon de légumes et de rôti peut être accompagné d'une purée de légumes ou de pommes de terre crues râpées pour un régime faible en gras.

Placez du papier sulfurisé ou du film plastique sur la plaque à pâtisserie pour éviter de graisser.

Ajoutez simplement un petit morceau de beurre et des herbes fraîches aux plats de légumes et bientôt vos yeux mangeront aussi.

Nouez les plats de crème avec la gélatine.

ALIMENTATION FAIBLE EN GRAS: QUELLE EST-ELLE VRAIMENT SAINE?

Depuis longtemps, les experts en nutrition sont convaincus qu'une alimentation faible en gras est la clé d'une silhouette mince et de la santé. Le beurre, la crème et la viande rouge, par contre, étaient considérés comme un danger pour le cœur, les valeurs sanguineset les escaliers. Cependant, de plus en plus d'études suggèrent que la graisse n'est pas aussi mauvaise qu'elle l'est. Contrairement à un plan nutritionnel à faible teneur en matières grasses, les sujets testés pourraient, par exemple, s'en tenir à un menu méditerranéen avec beaucoup d'huile végétale et de poisson, être en meilleure santé et ne pas grossir.

En comparant différentes études sur les graisses, les chercheurs américains ont constaté qu'il n'y avait aucun lien entre la consommation de graisses saturées et le risque de maladie coronarienne. Il n'y avait pas non plus de preuve scientifique claire que les régimes pauvres en graisses prolongeaient la vie. Seules les graisses dites trans, qui sont produites, entre autres, lors de la friture et du durcissement partiel des graisses végétales (dans les frites, les frites, les produits de boulangerie prêts à l'emploi, etc.), ont été classées comme dangereuses par les scientifiques.

Ceux qui mangent uniquement ou principalement des aliments faibles en gras ou sans gras sont susceptibles de manger plus consciemment en général, mais courent le risque de consommer trop peu de «bons gras». Il existe également un risque de carence en vitamines liposolubles, dont notre corps a besoin pour absorber les graisses.

Régime faible en gras: l'essentiel

Un régime faible en gras vous oblige à prendre soin des aliments que vous avez l'intention de consommer. En conséquence, vous serez probablement plus conscient des achats, de la cuisine et des repas.

Pour perdre du poids, cependant, ce n'est pas principalement la provenance des calories qui compte, mais le fait que vous consommez moins de calories par jour que vous n'en utilisez. Plus encore: les graisses (essentielles) sont nécessaires à la santé globale, car sans elles, le corps ne peut pas utiliser certains nutriments et ne peut pas effectuer certains processus métaboliques.

En résumé, cela signifie: Un régime pauvre en graisses peut être un moyen efficace de contrôler le poids ou de compenser l'indulgence des graisses. Il n'est pas recommandé d'abandonner complètement les graisses alimentaires.

SOUPE À LA CITROUILLE ET

Portions: 2

INGRÉDIENTS

- 700 G Citrouille, Hokkaido
- 1 Stg Citronnelle
- 1 pc Gingembre
- 2 TL huile d'olive
- 400 ml Bouillon de légumes
- 400 ml Lait de coco, non sucré
- 1 TL sel
- 1 TL poivre blanc
- 2 cuillères à soupe Graines de citrouille

- 1 cuillère à soupe   sésame

PRÉPARATION

Coupez d'abord la citrouille en deux avec un couteau bien aiguisé, coupez la pulpe et coupez-la en petits morceaux.

Coupez ensuite la citronnelle en tranches très fines et râpez finement le gingembre.

Faites maintenant chauffer l'huile d'olive dans une casserole et faites dorer la citrouille, le gingembre et la citronnelle.

Versez ensuite le bouillon de légumes et le lait de coco, portez brièvement à ébullition et faites cuire à feu moyen pendant environ 30 minutes jusqu'à ce que la courge soit tendre.

Pendant ce temps, faites griller soigneusement la citrouille et les graines de sésame dans une poêle non huilée.

Dès que la citrouille est tendre, mélanger la soupe, assaisonner de sel et de poivre et saupoudrer de citrouille et de graines de sésame

SOUPE À LA CITROUILLE ET

Portions: 4

INGRÉDIENTS

- 600 G Citrouille d'Hokkaido
- Bouillon de légumes
- 1 cuillère à café   Piment en poudre, chaud
- 1 TL   curry
- 3 cm   Gingembre
- 1 coup Jus de citron

PRÉPARATION

Épluchez le potiron, retirez les graines avec une cuillère et coupez la pulpe en petits morceaux. Épluchez et hachez également le gingembre.

Cuire les deux dans une casserole avec le bouillon de légumes à feu moyen pendant 20 minutes jusqu'à ce qu'ils soient tendres.

Mélangez ensuite la soupe à la citrouille et au gingembre avec le mixeur plongeant et assaisonnez bien avec le jus de citron, le piment et le curry.

SOUPE DE CHOU POUR

Portions: 6

INGRÉDIENTS

- 1 kpf   Chou (env.1 kg)
- 5 pièces   Oignons de légumes, de taille moyenne
- 2 bidons   Morceaux de tomate (850 ml chacun)
- 2 pièces   Poivrons jaunes / verts
- 1 kg   Carottes
- 2 Stg Poireau
- 200 G Bulbe de céleri

- 6 cuillères à soupe   Persil haché
- 2 pièces   Cubes de soupe
- 1 TL   poivre
- 1 prix Poudre de chili
- 5 eau

PRÉPARATION

Pour cette soupe de chou light, coupez d'abord le chou blanc en quartiers. Retirez les taches et la tige dure, lavez-les et coupez-les en gros morceaux. Épluchez et coupez les oignons en dés.

Maintenant, retirez la tige des poivrons, puis coupez-les en deux, retirez les graines, lavez les moitiés et coupez-les en lanières. Épluchez les carottes si nécessaire, sinon lavez-les et coupez-les en lanières.

Ensuite, nettoyez le poireau, coupez les racines et les longues feuilles, lavez-le soigneusement, coupez-le en 2 moitiés dans le sens de la longueur, puis coupez-le en demi-anneaux plus larges. Épluchez, lavez et coupez le céleri en dés.

Portez ensuite à ébullition le chou blanc avec 2 cubes de soupe dans une grande casserole avec de l'eau, puis ajoutez les légumes hachés. Après environ 10 minutes, versez les tomates en conserve et laissez cuire encore 15 minutes.

Assaisonnez enfin la soupe avec du poivre et du piment, puis parsemez de persil haché.

KOHLRABI SPREAD

Portions: 2

INGRÉDIENTS

- 2 cuillères à soupe   Crème aigre
- 1 cuillère à soupe   Noix, hachées
- 0,5 Fédération   persil
- 100 GRAMMES   Chou-rave
- 100 GRAMMES   crème au fromage
- 1 prix sel
- 1 prix poivre

PRÉPARATION

Épluchez le chou-rave et râpez-le dans une râpe fine. Lavez le persil, séchez-le et hachez-le en petits morceaux.

Mélangez maintenant le chou-rave avec le persil, les noix, le fromage à la crème et la crème sure dans un bol.

Enfin, assaisonnez bien le chou-rave avec du sel et du poivre.

PAIN CROQUANT

Portions: 8

INGRÉDIENTS

- 300 ml Eau chaude
- 4 cuillères à soupe   huile d'olive
- 1 TL   sel
- 500 G farine de blé
- 1 pc   Levure sèche.
- 1 TL   du sucre
- 8 cuillères à soupe   Tahini, pâte de sésame
- 2 cuillères à soupe   Sésame, léger

PRÉPARATION

Pour les pâtes, mélangez d'abord l'eau tiède avec le sel et l'huile.

Mélangez la farine, le sucre et la levure sèche dans un bol.

Versez ensuite le liquide dans les ingrédients secs et pétrissez le tout avec le crochet pétrisseur d'un batteur à main jusqu'à ce qu'il forme une pâte lisse.

Couvrir la pâte avec un chiffon et laisser lever dans un endroit chaud pendant environ 1 heure.

Saupoudrez ensuite un peu de farine sur un plan de travail, pétrissez à nouveau la pâte après l'avoir placée, divisez-la en 8 morceaux égaux et formez des boules.

Maintenant, chauffez doucement la pâte de sésame au micro-ondes (ou au bain-marie) et mélangez pour que l'huile ne se dépose pas.

Abaisser les morceaux de pâte en petits pains fins (environ la taille d'une casserole) et étendre la pâte de sésame des deux côtés et saupoudrer de graines de sésame.

À ce stade, chauffez une casserole à température moyenne sans ajouter de matière grasse et faites cuire les gâteaux l'un après l'autre des deux côtés pendant environ 8 à 10 minutes.

Du pain croustillant cuit au four, laissez-le refroidir sur une grille et profitez du meilleur frais.

MUESLI CROQUANT AU

Portions: 2

INGRÉDIENTS

- 100 GRAMMES   flocons d'avoine copieux
- 50 GRAMMES   Graines de tournesol
- 50 GRAMMES   raisins secs
- 1 prix sel
- 2 cuillères à soupe   sirop d'érable
- 500 G Yaourt au soja
- 1 pc   sucre vanillé
- 50 GRAMMES   découpé en tranches
  amandes

PRÉPARATION

Pour le granola au yogourt croquant, faites chauffer une poêle sans gras, ajoutez le gruau, les amandes et les graines de tournesol et faites rôtir jusqu'à ce qu'ils soient dorés.

Ajoutez maintenant les raisins secs et le sel et mélangez bien. Saupoudrez ensuite de sirop d'érable, mélangez le tout et faites caraméliser à feu moyen.

Ensuite, étalez le mélange sur une plaque à pâtisserie préparée recouverte de papier sulfurisé et laissez refroidir pendant 5 minutes.

Pendant ce temps, mettez le yogourt de soja dans un bol et adoucissez avec du sucre vanillé.

Ensuite, remplissez alternativement le yaourt et le muesli en couches dans deux grands verres et dégustez.

SHAKE CROQUANT FRIT

Portions: 3

INGRÉDIENTS

- 1 kg   Pommes de terre, bio
- 2 cuillères à soupe   Huile de tournesol
- 2 TL   Paprika en poudre, fumé
- 2 TL   sel

PRÉPARATION

Préchauffez d'abord le four à 250 ° C (chaleur du haut et du bas), lavez bien les pommes de terre, coupez-les en deux sans les éplucher et coupez-les en bâtonnets.

Ensuite, mettez les bâtonnets de pommes de terre avec l'huile de tournesol, le sel et la poudre de paprika dans un bol léger et agitez bien jusqu'à ce que les épices soient uniformément réparties.

Tapisser maintenant une plaque à pâtisserie de papier sulfurisé, répartir les frites uniformément et cuire au four jusqu'à ce qu'elles soient dorées et croustillantes pendant environ 25 minutes.

Enfin, sortez les frites croustillantes et servez-les en accompagnement ou avec des sauces fraîches (comme le ketchup, l'aïoli, la sauce à l'ail, etc.).

STOCK DE POULET LÉGER

Portions: 12

INGRÉDIENTS

- 1 pc   Soupe au poulet
- 400 G Racines, carottes, céleri, racine de persil
- 2,5 eau
- 1 cuillère à soupe   sel

PRÉPARATION

Nettoyez l'intérieur et l'extérieur du poulet prêt à cuire à l'eau froide, ainsi que le cœur et l'estomac.

Ensuite, placez le poulet avec les entrailles dans une casserole avec de l'eau froide salée et faites cuire

29

lentement jusqu'à ce qu'ils soient tendres à basse température, en écrémant encore et encore avec une cuillère.

Pendant ce temps, lavez, épluchez et coupez les racines.

Après une heure de cuisson, ajoutez les légumes préparés au poulet et laissez mijoter encore une heure.

Lorsque la viande est tendre, égouttez le bouillon de poulet clair à travers un tamis fin.

KIWIGELÉE

Portions:4

INGRÉDIENTS

- 4 pièces   kiwi
- 0,5 jus de raisin
- 0,25 TL   sucre vanillé
- 1 TL   Gélose Gélose
- 1 coup Jus de citron

PRÉPARATION

Épluchez d'abord les kiwis, coupez-les en petits morceaux puis mixez-les avec une goutte de jus de citron.

Mettez ensuite le jus de raisin avec le sucre vanillé et le mélange de kiwi dans une casserole, mélangez et faites chauffer soigneusement.

Mélangez ensuite l'agar agar avec 2 cuillères à soupe de jus de raisin jusqu'à consistance lisse et mélangez au mélange de kiwi. Remuer à feu moyen pendant environ 2 minutes sans que le liquide commence à bouillir.

Enfin, versez la gelée de kiwi du pot dans les bols et laissez refroidir.

KISIR

Portions: 4

INGRÉDIENTS

- 200 G Boulgour, eh bien, Köftelik
- 150 ml Eau bouillante
- 1 pc   Oignon moyen
- 1 coup Huile végétale, pour la poêle
- 1 cuillère à soupe   Pâte de tomate
- 1 cuillère à soupe   Pulpe de paprika, Acı Biber Salcası
- 1 cuillère à café   Poudre de cumin
- 1 cuillère à soupe   Flocons de piment, castor aci pul
- 1 coup Sirop de grenade, Nar Eksisi

- 0,5 Fédération   menthe
- 0,5 Fédération   Persil lisse
- 1 pc   Oignon de printemps
- 1 coup   huile d'olive
- 1 prix   sel
- 1 prix   Poivre du moulin
- 1 coup   Jus de citron

PRÉPARATION

Mettez le boulgour dans un bol, versez de l'eau bouillante dessus, remuez brièvement et laissez-le tremper pendant environ 15 minutes.

Pendant ce temps, épluchez l'oignon et faites-le frire dans une poêle avec l'huile.

Ajouter ensuite la pulpe de paprika, la pâte de tomate, le cumin moulu, les flocons de piment (= Aci Pul Biber) et le sirop de grenade (= Nar Eksisi) dans la poêle avec les oignons et bien mélanger. Retirez ensuite la casserole de la plaque chauffante et laissez-la refroidir.

Lavez la menthe et le persil, séchez-les et hachez-les finement. Coupez les oignons nouveaux en deux dans le sens de la longueur et coupez-les en fines rondelles.

Mélangez ensuite le boulgour avec le mélange d'oignon et incorporez les herbes finement hachées et les oignons nouveaux.

Enfin, incorporer l'huile d'olive dans le kisir et assaisonner la salade de boulgour avec du sel, du poivre et du jus de citron.

HARICOTS DE REIN AVEC AVOCAT

Portions: 4

INGRÉDIENTS

- 2 pièces   Oignons, super
- 2 bidons   Haricots rouges (environ 250g)
- 2 pièces   Avocats, mûrs (environ 180 g)
- 1 pc   Citron
- 2 cuillères à soupe   L'huile de colza
- 100 ml Bouillon de légumes, instantané
- 2e prix   sel
- 2e prix   poivre
- 2 TL   Raifort râpé (verre)

- 1 carton   cresson

PRÉPARATION

Épluchez d'abord les oignons et coupez-les en petits cubes.

Versez les haricots dans une passoire de cuisine, rincez à l'eau froide et égouttez bien.

Couper les avocats en deux dans le sens de la longueur, évider, éplucher les moitiés et les couper en cubes. Ensuite, pressez le citron et assaisonnez-le avec les cubes.

À ce stade, faites chauffer l'huile dans une poêle antiadhésive à bord haut et faites dorer les cubes d'oignon jusqu'à ce qu'ils soient dorés. Déglacer avec le bouillon de légumes et ajouter les haricots et les avocats. Laisser tout mijoter environ 4 minutes en remuant constamment.

Enfin assaisonner les légumes haricots borlotti avec de l'avocat avec du sel, du poivre et du raifort, saupoudrer de cresson et servir.

SALADE DE POIS CHICHES

Portions: 4

- **INGRÉDIENTS**
- 250 G Pois chiches secs
- 3 pièces   gousse d'ail
- 1 pc   oignon
- 1 prix Poivre, fraîchement moulu

pour l'assaisonnement

- 50 ml le vinaigre
- 80 ml huile d'olive
- 0,5 TL sel

PRÉPARATION

Faites tremper les pois chiches pendant une nuit (au moins 12 heures) avec le triple de la quantité d'eau.

Filtrez ensuite les pois chiches, versez-y de l'eau fraîche salée et laissez cuire env. 90 minutes jusqu'à ce qu'ils soient tendres. Ensuite, égouttez-les bien dans une passoire.

Pendant ce temps, épluchez et hachez finement l'oignon et l'ail et mélangez-les avec les pois chiches dans un bol.

Mélangez une vinaigrette avec du vinaigre, de l'huile, du sel et du poivre et faites mariner la salade de pois chiches avec.

SAUCE AUX POIS CHICHES

Portions: 4

INGRÉDIENTS

- 1 pc   Oignon, super
- 2 pièces   gousse d'ail
- 4 cuillères à soupe   huile d'olive
- 100 GRAMMES   Pâte de tomate
- 100 ml vin rouge
- 250 G Pois chiches, cuits
- 750 ml tamisé tomates
- 1 TL   sel
- 1 prix poivre
- 1 prix Poudre de paprika, noble sucré
- 1 TL   Origan, râpé

- 1 TL   Thym, râpé

PRÉPARATION

Mettez d'abord l'huile d'olive dans une casserole, faites-la chauffer, épluchez l'oignon, coupez-le en deux et coupez-le en fines tranches, puis ajoutez, et épluchez l'ail, pressez dans la casserole avec un presse-ail, faites dorer pendant environ 10 minutes à feu moyen.

Puis déglacer avec le vin rouge et la pâte de tomate, ajouter les pois chiches et la sauce tomate; Assaisonner de poivre, sel, muscade et paprika en poudre.

Enfin, laissez mijoter la sauce aux pois chiches pendant encore 45 minutes, puis saupoudrez d'origan et de thym vers la fin.

SALADE DE POIS CHICHES ET AVOCAT AU QUINOA

Portions: 2

INGRÉDIENTS

- 200 G quinoa
- 200 G Pois chiches (en pot ou en boîte)
- 1 pc   oignon
- 4 pièces   tomates
- 200 G Fromage de chèvre
- 1 pc   Avocat (aussi mûr que possible)
- 100 GRAMMES   Laitue

pour la vinaigrette

- 1 cuillère à soupe   le vinaigre
- 1 TL   moutarde
- 1 TL   mon chéri
- 1 prix sel
- 1 prix Poivre (fraîchement moulu)
- 3 cuillères à soupe   huile d'olive

PRÉPARATION

Rincez d'abord le quinoa à l'eau chaude, puis placez-le dans une casserole avec beaucoup d'eau bouillante. Laisser cuire le quinoa pendant 20 minutes et laisser gonfler encore 5 minutes après la cuisson.

Mélangez ensuite le quinoa avec les pois chiches cuits ou rôtis.

Maintenant, épluchez, lavez et coupez l'oignon en lanières. Ensuite, lavez et coupez les tomates en quartiers. Coupez le fromage de brebis en cubes.

Épluchez et coupez l'avocat en deux, retirez le cœur puis coupez-le en quartiers. Lavez la laitue et coupez-la en petits morceaux. Enfin, mélangez tous les ingrédients avec le quinoa et les pois chiches.

Maintenant, mélangez une vinaigrette à base d'huile d'olive, de vinaigre, de moutarde, de miel, de sel et de poivre fraîchement moulu et répartissez uniformément sur la salade.

SOUPE DE POMMES DE TERRE AUX POIS ET CHIENS

Portions: 4

INGRÉDIENTS

- 700 G Pommes de terre, principalement cireuses
- 1 Stg   Poireau
- 2 cuillères à soupe   L'huile d'olive, pour le pot
- 200 G Petits pois surgelés
- 800 ml l'eau
- 2 TL   Bouillon de légumes, poudre
- 1 Fédération   Feuilles de pissenlit, une bonne poignée
- 0,5 pièce   Citron bio

- 100 ml Crème d'avoine
- 1 prix sel
- 1 prix Flocons de piment

PRÉPARATION

Lavez d'abord, épluchez et coupez les pommes de terre en dés. Nettoyez ensuite le poireau, coupez-le dans le sens de la longueur, lavez-le soigneusement puis coupez-le en fines lanières en travers.

Chauffez ensuite l'huile dans une grande casserole. Faites revenir les pommes de terre et les poireaux en remuant. Ajouter les petits pois et faire revenir brièvement.

Ajoutez maintenant de l'eau chaude et du bouillon de légumes et portez le tout à ébullition. Couvrir et laisser mijoter la soupe à feu doux pendant environ 10 minutes, jusqu'à ce que les pommes de terre soient tendres.

Pendant ce temps, rincez les feuilles de pissenlit, séchez-les et hachez-les très finement. Frottez ensuite le zeste d'un demi-citron.

Mélangez la crème d'avoine avec le pissenlit dans la soupe et assaisonnez de sel, de flocons de piment rouge et de zeste de citron râpé.

SOUPE DE POMMES DE TERRE

Portions: 4

INGRÉDIENTS

- 1 kg   Pommes de terre, cuisson farineuse
- 500 G brocoli
- 1 pc   oignon
- l'eau
- 2,5 TL Bouillon de légumes, poudre
- 1 coup huile

PRÉPARATION

Lavez d'abord, épluchez et coupez les pommes de terre en dés. Ensuite, lavez aussi les brocolis et coupez-les en fleurettes avec vos mains et un couteau. Épluchez la tige du brocoli et coupez-la en cubes. Ensuite, épluchez et hachez finement l'oignon.

Mettez ensuite les pommes de terre, le brocoli et l'oignon dans une casserole et faites revenir dans un filet d'huile à feu moyen. Déglacer à l'eau, ajouter le bouillon de légumes et laisser mijoter environ 20 minutes.

Mélangez ensuite finement la soupe et servez. La soupe de pommes de terre au brocoli est prête.

POMMES DE TERRE DOUCES

Portions: 4

INGRÉDIENTS

- 500 G Pommes de terre, cireuses
- 1 TL sel
- 250 G courgette
- 1 pc oignon
- 2 pièces Gousses d'ail
- 150 G Feuilles d'épinards
- 200 G Morceaux d'ananas (boîte)
- 200 ml Jus d'ananas
- 1 cuillère à soupe Huile, neutre

- 50 ml   Bouillon de légumes
- 2 cuillères à soupe   Sauce soja légère
- 2 cuillères à soupe   vinaigre de cidre de pomme
- 1 cuillère à soupe   mon chéri

PRÉPARATION

Lavez d'abord les pommes de terre, mettez-les dans une casserole avec de l'eau salée, portez à ébullition et faites cuire environ 25 minutes jusqu'à ce qu'elles soient cuites. Filtrez ensuite les pommes de terre, épluchez-les et coupez-les à env. Cubes de 2 cm.

Lavez les courgettes, coupez les deux extrémités et coupez également les courgettes en cubes.

Ranger, laver et égoutter les épinards. Égouttez les morceaux d'ananas dans une passoire en récupérant le jus.

Épluchez et hachez finement l'oignon et l'ail.

Chauffer l'huile dans le wok, faire revenir l'oignon et l'ail haché jusqu'à ce qu'ils soient translucides, puis ajouter les pommes de terre, les courgettes et les épinards et faire revenir pendant 2 minutes. Mélangez maintenant le tout avec le jus d'ananas, ajoutez les morceaux d'ananas et le bouillon de légumes.

Enfin, affinez les légumes avec la sauce soja, le vinaigre de cidre de pomme et le miel, assaisonnez de sel et ramenez à ébullition.

GOUTTES DE POMME DE TERRE AUX ÉPINARDS

Portions: 4

INGRÉDIENTS

- 500 G Pommes de terre, cuisson farineuse
- 200 G Feuilles d'épinards
- 4 cuillères à soupe   purée de pomme de terre
- 1 TL   Sel, pour cuisiner
- 1 prix Noix de muscade, fraîchement râpée
- 1 cuillère à café   poivre
- 1 prix sel
- 2 pièces   protéine
- 3 cuillères à soupe   L'eau pour mélanger

PRÉPARATION

Pour les gnocchis aux pommes de terre aux épinards, bien badigeonner les pommes de terre, puis avec la peau dans une casserole, légèrement recouverte d'eau salée et cuire 30 minutes - jusqu'à tendreté.

Égouttez les pommes de terre, épluchez-les et écrasez-les pendant qu'elles sont encore chaudes. Mélangez ensuite les pommes de terre avec du sel, du poivre et de la muscade.

Épluchez maintenant les épinards, mettez les légumes dans un bol avec de l'eau, retirez les feuilles des tiges, puis rincez les feuilles 2-3 fois. Puis blanchissez brièvement les épinards dans l'eau bouillante, pressez et hachez très finement.

Mélangez maintenant les épinards avec 3 cuillères à soupe de farine de pomme de terre et le blanc d'oeuf dans le mélange de pommes de terre.

Façonnez ensuite la pâte de pommes de terre en gnocchi et laissez reposer environ 10 minutes.

Ensuite, mettez sur une casserole avec 1 litre d'eau salée. Mélangez les 2 cuillères à soupe de farine de pomme de terre restantes avec un peu d'eau, versez dans la casserole et portez à ébullition.

Mettez maintenant les gnocchis dans l'eau qui n'est plus bouillante et faites cuire à feu moyen pendant environ 15 minutes.

GOULASSE DE POMMES DE

Portions: 4

INGRÉDIENTS

- 150 G Bulbe de céleri
- 800 G Pommes de terre, principalement cireuses
- 2 pièces   Carottes
- 2 TL   Poudre de paprika, noble sucré
- 500 ml Bouillon de légumes, chaud
- 4 cuillères à soupe   Pâte de tomate
- 1 prix sel
- 1 cuillère à soupe   Crème fraîche ou crème sure

- 3 pièces   Oignons, hachés finement
- 1 TL   Beurre clarifié
- 1 prix Poivre du moulin
- 1 prix du sucre

PRÉPARATION

Pour ce goulasch végétarien aux pommes de terre, épluchez d'abord les pommes de terre, lavez-les et coupez-les à env. Cubes de 1 cm. Épluchez et coupez les carottes de la même manière, mais un peu plus petit. Peler, peler et couper le céleri en bâtonnets.

Dans une casserole, faire revenir les oignons dans du beurre clarifié, puis ajouter les pommes de terre et les carottes coupées en dés, le céleri et faire revenir brièvement.

Verser sur le bouillon de légumes, saupoudrer de poudre de paprika et incorporer la pâte de tomate. Couvrir et cuire à couvert pendant environ 10 minutes jusqu'à ce qu'ils soient ramollis.

Enfin, assaisonnez le goulash de pommes de terre avec du sel, du poivre, du sucre et de la crème fraîche et servez.

QUARTIERS DE POMMES DE

Portions: 4

INGRÉDIENTS

- 850 G Pommes de terre, cireuses
- 4 cuillères à soupe   huile d'olive
- 2 TL   Paprika en poudre, sucré
- 1 TL   sel

PRÉPARATION

Préchauffez d'abord le four à 200 ° C (convection) ou 220 ° C (chaleur du haut et du bas) et couvrez une plaque à pâtisserie de papier sulfurisé.

Épluchez et lavez les pommes de terre, coupez-les en quartiers puis mettez-les dans un bol.

Maintenant, étalez l'huile d'olive, le sel et la poudre de paprika sur le chemin des pommes de terre et mélangez bien avec vos mains.

Disposez les pommes de terre sur la plaque à pâtisserie préparée, en vous assurant qu'elles sont côte à côte.

Faites glisser la casserole sur le guide central et faites cuire les tranches de pommes de terre au four pendant environ 30 minutes jusqu'à ce qu'elles soient dorées. Faites attention à ne pas devenir trop sombre. Une fois terminé, transférer dans un bol et servir.

LA POMME DE TERRE PARLE AUX POMMES DE TERRE DOUCES

Portions: 2

INGRÉDIENTS

- 3 pièces   Patates douces, super
- 3 cuillères à soupe   huile d'olive
- 1 TL   Paprika en poudre, sucré
- 1 TL   Poudre de cumin
- 1 TL   Romarin, haché finement
- 1 prix sel

PRÉPARATION

Préchauffez d'abord le four à 220 ° C (four à convection 200 ° C).

Pendant ce temps, épluchez et lavez les patates douces. Ensuite, coupez-les dans les coins ou les crevasses et disposez-les dans un plat allant au four.

Ensuite, arrosez les patates douces d'huile d'olive. Saupoudrer de paprika en poudre, de cumin, de romarin et de sel et bien mélanger les pommes de terre à deux mains.

Placer le plat sur la grille centrale du four préchauffé et cuire les quartiers de patate douce pendant environ 30 minutes jusqu'à ce qu'ils soient tendres à l'intérieur et croustillants à l'extérieur.

QUARTIERS DE POMMES DE TERRE DE LA FRITEUSE À AIR

Portions: 2

INGRÉDIENTS

- 600 G Pommes de terre, cireuses
- 2 TL   huile d'olive
- 1 prix sel de mer
- 1 prix Poivre, noir, fraîchement moulu
- 0,5 TL Romarin, haché finement
- 0,5 TL Thym, séché

Pour la trempette

- 1 pc   Avocat mûr

- 2 cuillères à soupe   Yaourt nature
- 1 TL   Condiment pour guacamole
- 1 TL   Jus de citron

PRÉPARATION

Lavez d'abord soigneusement les pommes de terre et brossez-les. Donc, selon la taille, un quart ou un huitième.

Mettez ensuite dans un bol, arrosez d'huile et assaisonnez de sel, poivre, romarin et thym. Mélangez bien les pommes de terre avec ces ingrédients.

Réglez maintenant la friteuse à air à 180 ° C et un temps de cuisson de 20 minutes.

Ajouter les pommes de terre, après 10 minutes ouvrir la friteuse, mélanger les pommes de terre pour un résultat uniformément doré puis terminer la cuisson.

Pendant la cuisson, coupez l'avocat, retirez le noyau et récupérez la pulpe. Mettre dans un bol, écraser à la fourchette et mélanger avec le jus de citron, le yogourt et la vinaigrette au guacamole.

Sortez les quartiers de pommes de terre finis de la friteuse et servez avec la salsa à l'avocat.

SAUCE DE POMMES DE TERRE SANS BEURRE

Portions: 4

INGRÉDIENTS

- 1 kg   Pommes de terre, cuisson farineuse
- 1 TL   Sel, pour l'eau de cuisson
- 150 ml Lait (teneur en matière grasse 1,5%)
- 2 cuillères à soupe   Crème sure (10% de matière grasse)
- 1 prix sel
- 1 prix Poivre, blanc, fraîchement moulu
- 1 prix Noix de muscade, fraîchement râpée

PRÉPARATION

Épluchez, lavez et coupez les pommes de terre en gros cubes. Ensuite, mettez dans une casserole, couvrez d'eau salée et faites cuire à feu moyen pendant environ 20-25 minutes.

Égouttez les pommes de terre cuites dans une passoire et récupérez l'eau de cuisson dans un bol.

Ensuite, faites chauffer le lait dans une petite casserole pendant environ 3 minutes. Pressez les pommes de terre avec un presse-purée et battez le lait chaud avec un fouet. Incorporez ensuite la crème sure.

Si la consistance est trop ferme, ajoutez un peu d'eau de cuisson des pommes de terre collectées.

Enfin assaisonner la purée de pommes de terre sans beurre avec du sel, de la muscade et du poivre et servir aussitôt.

FRITES

S.

Portions: 4

INGRÉDIENTS

- 30 G   Escalope de dinde, fine
- 3 cuillères à soupe   huile d'olive
- 1 prix sel
- 1 prix poivre blanc
- 400 G Pommes de terre, cireuses
- 200 G Champignons, petits
- 250 G courgette
- 1 Fédération   Oignons de printemps
- 250 G brocoli
- 75 G   Tomates séchées
- 0,5 Fédération   Persil (frais

- 0,5 Fédération   Origan, frais
- 200 G Crème aigre

PRÉPARATION

Lavez d'abord l'escalope de dinde, séchez-la avec du papier absorbant et coupez-la en lanières.

Faites ensuite chauffer une cuillère à soupe d'huile d'olive dans une poêle et faites revenir les lanières de dinde dorées de tous les côtés. Puis assaisonnez-les de sel et de poivre, retirez-les de la casserole et gardez-les au chaud.

Maintenant, épluchez, lavez et coupez les pommes de terre en tranches. Chauffer le reste de l'huile d'olive dans la poêle et couvrir les pommes de terre pendant environ 20 minutes à feu moyen jusqu'à ce qu'elles soient bien cuites, en remuant de temps en temps.

Pendant ce temps, nettoyez les champignons et coupez-les en deux. Lavez les courgettes et coupez-les en tranches. Nettoyez et lavez les oignons nouveaux et coupez-les en rondelles.

Ajouter les légumes aux pommes de terre après 10 minutes et cuire en même temps - assaisonner de sel et de poivre.

Nettoyez, lavez et coupez le brocoli en fleurettes. Porter à ébullition de l'eau salée dans une casserole, cuire les fleurons de brocoli pendant 8 minutes, puis égoutter et égoutter.

Coupez les tomates séchées en petits morceaux.
Mélangez ensuite la viande, le brocoli et la tomate
hachée dans les pommes de terre, assaisonnez à
nouveau avec du sel et du poivre et chauffez.

Enfin, retirez le persil et l'origan des tiges, lavez-les,
secouez-les et hachez-les finement. Mélangez les
herbes avec la crème sure et servez dans la casserole
de pommes de terre et de légumes.

PAN DE POMMES DE TERRE ET
LÉGUMES AVEC OEUF

Portions: 2

INGRÉDIENTS

- 800 G Pommes de terre, cireuses
- 200 G Maïs (boîte)
- 6 pièces   Des œufs
- 80 G   Persil finement haché
- 2 cuillères à soupe   L'huile de colza
- 20 pièces   Tomates, petites
- 1 prix sel
- 1 prix poivre

PRÉPARATION

Pour la casserole de pommes de terre et légumes avec œuf, épluchez d'abord soigneusement les pommes de terre cireuses avec un éplucheur ou un couteau, lavez-les et portez-les à ébullition dans une grande casserole avec de l'eau légèrement salée. Faites maintenant bouillir les pommes de terre pendant 10 minutes, puis égouttez-les soigneusement et coupez-les en tranches.

En même temps, faites chauffer l'huile de colza dans une poêle peu profonde et faites revenir les pommes de terre pendant quelques minutes.

Lavez les tomates, tapotez-les avec un chiffon puis coupez-les en quartiers. Placer le maïs en conserve dans une passoire, bien rincer et laisser égoutter. Ajoutez ensuite les tomates coupées en quartiers et le maïs aux pommes de terre et incorporez soigneusement.

Mélangez ensuite les œufs et une pincée de sel et de poivre dans un bol avec un fouet et mélangez avec les autres ingrédients dans la casserole. Mélangez bien le tout et laissez reposer 5 minutes. Remuez-le soigneusement de temps en temps pour éviter de brûler quelque chose.

PURÉE DE POMMES DE TERRE

Portions: 4

INGRÉDIENTS

- 1 kg   Pommes de terre, cuisson farineuse
- 200 G Pois, jeunes, congelés
- 2 cuillères à soupe   beurre
- 1 prix sel
- 1 prix Poivre, noir, fraîchement moulu
- 1 cuillère à café   Noix de muscade, fraîchement râpée
- 250 ml lait

PRÉPARATION

Épluchez d'abord les pommes de terre, lavez-les et coupez-les en gros morceaux. Ensuite, mettez dans une casserole, couvrez d'eau et laissez cuire environ 20 minutes.

Dans les 3 dernières minutes de cuisson, ajoutez les petits pois surgelés aux pommes de terre et faites cuire en même temps. Verser ensuite dans une passoire et bien égoutter, puis transférer dans une casserole.

Faites chauffer le lait dans une casserole pendant environ 3 minutes. Écrasez grossièrement le mélange de pommes de terre et de pois avec un pilon à pommes de terre et versez le lait jusqu'à ce que la purée ait une consistance crémeuse.

Incorporez maintenant le beurre dans la purée de pommes de terre et les petits pois, assaisonnez avec du sel, du poivre et de la muscade râpée. Gardez la purée au chaud jusqu'au moment de servir

FENOUIL CARAMÉLISÉ

Portions: 4

INGRÉDIENTS

- 750 G Bulbe de fenouil
- 5 pièces   échalote
- 1 coup Huile d'olive pour la poêle
- 4 cuillères à soupe   mon chéri
- 120 ml Vin blanc sec
- 1 cuillère à soupe   Zeste de citron râpé (bio)
- 1 prix sel et poivre

PRÉPARATION

Nettoyez et lavez les fenouils, coupez-les au centre et coupez la tige dure, puis coupez-les en fines lanières.

Retirez ensuite la peau des échalotes et hachez-les finement.

Faites maintenant chauffer l'huile dans une poêle et faites-y revenir ou ragoût le fenouil et les échalotes.

Saupoudrer de miel et laisser caraméliser brièvement. Versez le vin blanc, ajoutez le zeste de citron et mélangez.

Faites cuire les légumes environ 10 minutes, puis assaisonnez de sel et de poivre.

STOCK DE VEAU OU STOCK DE

Portions: 10

INGRÉDIENTS

- 2 kilogrammes   Os de veau
- 4 pièces   Carottes, super
- 2 pièces   Oignons
- 1 kpf   Céleri-rave, bébé
- 3 pièces   Racines de persil
- 2 cuillères à soupe   Huile végétale, pour légumes
- 3 Eau, froide
- 3 gl   De l'eau, pour les légumes

PRÉPARATION

Préchauffez d'abord le four à 180 ° C haut / bas.

En attendant, rincez les os de veau à l'eau froide et placez-les dans une grande casserole ou un plat allant au four pour que tous les os touchent le fond de la casserole. Ensuite, placez la casserole sur la rampe la plus basse du four préchauffé et faites dorer les os pendant environ 1 heure, sans ajouter de matière grasse.

Pendant ce temps, lavez les carottes, le céleri et les racines de persil et coupez-les en gros morceaux. Épluchez également les oignons et hachez-les grossièrement. Faites chauffer un filet d'huile végétale dans une poêle, faites revenir les légumes coupés en dés et laissez-les prendre une forte couleur en 10 minutes environ.

Ensuite, déglacez le rôti avec 1 verre d'eau, faites bouillir complètement pendant environ 5 minutes et répétez l'opération 2 fois de plus.

Maintenant, sortez la casserole du four, ajoutez les légumes rôtis et versez l'eau. Les os et les légumes doivent être recouverts d'environ 1 cm d'eau.

Réduisez la température à 160 ° C au-dessus / en dessous, laissez le contenu de la casserole mijoter doucement pendant environ 6 heures et retirez la mousse entre les deux.

À la fin de la cuisson, versez le bouillon de veau ou le bouillon de veau à travers une passoire fine dans une grande casserole et laissez refroidir. Retirez la couche blanche de graisse et utilisez-la ailleurs si nécessaire.

Versez le bouillon maintenant visqueux à travers un tamis fin et assurez-vous qu'aucun sédiment n'est renversé avec. Utilisez du bouillon ou du bouillon ou congelez-le par portions.

MORUE À LA VAPEUR AU

Portions: 4

INGRÉDIENTS

- 900 G filet de cabillaud
- 1 Fédération un radis
- 0.7 Fédération   aneth
- 0,5 Fédération   ciboulette
- 0,5 pièce   Citron bio
- 1 prix sel
- 1 prix poivre
- 3 cuillères à soupe   Raifort râpé (verre)
- 1 cuillère à soupe   huile d'olive

PRÉPARATION

Tout d'abord, rincez le poisson, séchez-le avec du papier absorbant et retirez les os, de préférence avec une pince à épiler.

Retirez maintenant les légumes et les racines des radis, lavez-les soigneusement et coupez-les en fines tranches.

Lavez, séchez et hachez finement les feuilles délicates de radis, d'aneth et de ciboulette.

Maintenant, lavez le citron à l'eau chaude, coupez-le finement avec le zeste, puis mélangez-le avec les radis et les herbes aromatiques.

Ensuite, étalez un morceau de papier sulfurisé approprié et étalez la moitié du mélange de radis et d'herbes dans le sens de la longueur. Déposer le filet de poisson sur le mélange, assaisonner de sel et de poivre et badigeonner de raifort. Ensuite, étalez le reste du mélange de radis et d'herbes sur le poisson et fermez le couvercle en parchemin.

Maintenant, placez le paquet dans un cuit-vapeur ou une casserole avec un insert de cuit-vapeur et faites cuire à la vapeur pendant environ 25 minutes.

Retirez enfin le paquet, placez-le sur un plat de service, ouvrez au centre et servez la morue cuite à la vapeur avec des radis habillés d'huile d'olive.

COD AUX CHAMPIGNONS

Portions: 4

INGRÉDIENTS

- 500 G filet de cabillaud
- 1 pc   Jus de citron
- 0,5 TL sel
- 2 TL   Aiguilles de romarin
- 1 cuillère à soupe   Farine
- 5 pièces   oignons de printemps
- 170 G Champignons
- 2 cuillères à soupe   beurre
- 1 prix poivre
- 100 ml vin blanc
- 1 cuillère à soupe   Persil haché

- 1 cuillère à soupe   Crème fine

PRÉPARATION

Lavez le filet de poisson, séchez-le avec du papier absorbant et coupez-le en petits morceaux. Ensuite, coupez le citron en deux, pressez-le et saupoudrez 1 cuillère à soupe de jus de citron sur les filets de poisson. Enfin, assaisonnez de sel et saupoudrez de farine.

Nettoyez les oignons nouveaux, coupez-les en rondelles, lavez-les et égouttez-les. Nettoyez les champignons, coupez-les en deux et saupoudrez aussitôt de jus de citron.

Faites fondre le beurre dans une casserole, ajoutez les aiguilles de romarin lavées et assaisonnez de poivre. Ajoutez ensuite les champignons et les oignons nouveaux et faites cuire à feu moyen pendant environ 5 minutes.

Ajouter ensuite les morceaux de poisson, faire revenir environ 6 minutes, déglacer au vin blanc et assaisonner de sel, de jus de citron et de poivre.

Enfin, ajoutez la crème fine et servez saupoudrée de persil.

YOGOURT GRANOLA À LA BANANE

Portions: 2

INGRÉDIENTS

- 2 cuillères à soupe   Grains de blé
- 3 TL   raisins secs
- 3 TL   Noix, hachées
- 1 TL   son de blé
- 1 pc   banane
- 2 cuillères à soupe   Miel liquide
- 300 GRAMMES   Yaourt, faible en gras
- 60 G   Kéfir, faible en gras
- 4 pièces   La moitié du noyau de noix, au fil.

PRÉPARATION

Tout d'abord, mettez les grains de blé et les raisins secs dans une petite casserole, couvrez uniquement d'eau et laissez tremper toute la nuit. Le lendemain, égouttez l'eau et ajoutez les noix et le son dans la casserole et mélangez.

Ensuite, épluchez la banane pour le muesli au yaourt avec la banane, coupez une moitié en fines tranches et écrasez l'autre moitié à la fourchette. Disposez les tranches de banane sur 2 bols.

Mélangez la purée de banane avec le miel dans un bol avec le yaourt. Mélangez le kéfir et le mélange de céréales.

Enfin, répartissez le mélange de yogourt entre les deux bols et garnissez chaque portion de deux noix.

SAUCE AU YAOURT À L'AIL

Portions: 4

INGRÉDIENTS

- 1 Bch   Yaourt au lait écrémé
- 1 TL   Sel aux herbes
- 1 prix poivre
- 4 pièces   Gousses d'ail
- 1 Spr   Jus de citron

PRÉPARATION

Épluchez d'abord les gousses d'ail et pressez-les à travers le presse-ail dans un bol. Puis bien mélanger avec le yaourt.

Enfin assaisonner la sauce au yogourt et à l'ail avec du jus de citron, du sel aux herbes et du poivre et servir.

Vinaigrette à la moutarde et au miel de yogourt

Portions: 4

INGRÉDIENTS

- 200 G Yaourt nature, plus grec
- 6 TL   Miel, liquide
- 4 TL   Moutarde de Dijon
- 1 prix sel
- 1 prix Poivre, noir, fraîchement moulu
- 0,5 Fédération   ciboulette

PRÉPARATION

Mettez d'abord le yaourt dans un bol et mélangez le miel avec un batteur plat.

Ajoutez ensuite la moutarde, mélangez et assaisonnez avec du sel et du poivre.

Lavez la ciboulette, séchez-la et coupez-la en rouleaux très fins avec des ciseaux. Mélanger les rouleaux de ciboulette dans la sauce moutarde au miel et yogourt.

Assaisonner la vinaigrette avec une pincée de poudre de paprika, couvrir et laisser refroidir.

SALADE DE PAIN ITALIEN - PANZANELLA

Portions: 2

INGRÉDIENTS

- 300 GRAMMES   Pain rassis (tout type)
- 1 Spr   Huile d'olive (vierge, de bonne qualité)
- 2 pièces   Gousses d'ail
- 5 pièces   Tomates en grappe
- 2 pièces   Concombre
- 1 prix sel
- 1 prix Poivre (fraîchement moulu)
- 250 mg   Vinaigre (vinaigre de vin rouge)
- 250 ml l'eau

- 1 prix   cassonade
- 1 Fédération   basilic
- 1 pc   oignon rouge

PRÉPARATION

Coupez d'abord le pain à env. 2 cm de cubes et préchauffez le four à 140 ° C. Puis étalez les cubes de pain sur une plaque à pâtisserie et arrosez d'un filet d'huile.

Dans l'étape suivante, pressez les gousses d'ail avec leur peau et étalez-les sur le pain. Maintenant, faites griller les cubes de pain jusqu'à ce qu'ils soient dorés.

Pendant ce temps, lavez les tomates, coupez-les en deux et coupez le concombre en cubes. Hachez finement l'oignon rouge et mettez-le dans un bol, assaisonnez de sel et laissez reposer environ 10 minutes.

Ajoutez maintenant les tomates et les concombres aux oignons et assaisonnez au goût avec de l'huile d'olive, du vinaigre, de l'eau, de la cassonade, du sel et du poivre fraîchement moulu.

Ajouter enfin les cubes de pain grillé et bien mélanger avec les feuilles de basilic. Laisser reposer environ 10 minutes puis servir.

SOUPE D'OIGNON ITALIENNE

Portions: 4

INGRÉDIENTS

- 4 TL   Persil, frais, haché
- 2 pièces   Gousses d'ail
- 5 pièces   Oignons
- 3 cuillères à soupe   L'huile d'olive, pour le pot
- 300 ml Vin blanc sec
- 450 ml Bouillon de légumes, bien sûr
- 1 cuillère à soupe   Jus de citron
- 1 TL   sel
- 0,5 TL poivre
- 4 Schb   Pain blanc, grillé
- 250 G Pecorino râpé

- 0,5 TL du sucre
- 1 coup Vinaigre de vin

PRÉPARATION

Pour la soupe à l'oignon italienne, épluchez d'abord les oignons et coupez-les en tranches. Épluchez et hachez finement l'ail également.

Faites ensuite chauffer l'huile d'olive dans une casserole et faites-y dorer l'oignon et les morceaux d'ail.

Déglacer avec le bouillon de vin et de légumes et mettre le couvercle. Laisser mijoter environ 10 minutes à basse température, ajouter du sel, du poivre, du sucre et assaisonner au goût avec du jus de citron et une pincée de vinaigre de vin.

À l'aide d'un verre ou d'un emporte-pièce, découpez des petits cercles dans du pain blanc (ou des croûtons), saupoudrez de fromage et faites cuire au four à env. 170 degrés pendant env. 10 minutes.

Disposer la soupe à l'oignon sur des assiettes et servir les tranches de pain grillé gratinées en insert.

CONFITURE DE GINGEMBRE

Portions: 4

INGRÉDIENTS

- 5 pièces   Des oranges
- 45 ml   Jus d'orange, non sucré
- 500 G Stockage du sucre, 2: 1
- 1 pc   Gingembre, frais (environ la taille d'un pouce)

PRÉPARATION

Retirez la peau des oranges, divisez-les en quartiers et coupez-les en filet - retirez également les pierres.

Pesez les filets d'orange et utilisez 500 grammes supplémentaires.

Ensuite, épluchez le gingembre et râpez-le finement, puis pesez 10 grammes.

Mélangez ensuite le jus d'orange dans une casserole avec les filets d'orange, le gingembre et le sucre glace, portez à ébullition et faites bouillir à feu vif en remuant constamment (environ 4 minutes). Retirez la mousse résultante.

Ensuite, remplissez immédiatement la confiture de gingembre chaude avec des oranges dans des bocaux stérilisés et fermez-les hermétiquement avec un bouchon à vis. Retourner et laisser reposer 5 minutes.

TREMPETTE AU GINGEMBRE

Portions: 4

INGRÉDIENTS

- 250 G Crème sure ou crème fraîche
- 3 cm Gingembre
- 1 pc Citrons, jus et pelure
- 1 prix sel
- 5 cm Citronnelle

PRÉPARATION

Peler et râper finement ou hacher le gingembre. Lavez la citronnelle, secouez-la pour qu'elle sèche et hachez-la très finement.

Mélangez ensuite les deux dans un bol avec le jus de citron et le zeste râpé.

Enfin, incorporer la crème sure et assaisonner la sauce au gingembre et au citron avec du sel.

CURRY DE CREVETTES

Portions: 4

INGRÉDIENTS

- 1 cuillère à soupe   Curcuma
- 1,5 TL Coriandre moulue
- 2 cuillères à soupe   Coriandre, fraîche
- 1 TL   cumin
- 1 prix Noix de muscade
- 1 pc   Gingembre, frais, environ 5 cm
- 3 pièces   Gousses d'ail
- 2 pièces   Oignons
- 3 cuillères à soupe   Huile d'arachide
- 400 G Morceaux de tomate (Paquet Tetra)

- 200 ml l'eau
- 5 cuillères à soupe   Jus de citron
- 5 pièces   feuilles de curry
- 800 G Crevettes, fraîches
- 1 Stg cannelle
- 1 prix Poudre de chili

PRÉPARATION

Tout d'abord, mélangez le curcuma, la coriandre, le cumin, la poudre de chili et la muscade dans un bol.

Ensuite, épluchez le gingembre et frottez-le avec les épices dans le bol. Épluchez l'ail, passez-le avec un presse-ail et ajoutez-le. Ajoutez ensuite 5 cuillères à soupe d'eau et mélangez pour faire une pâte.

Épluchez et hachez finement les oignons et faites-les revenir dans une poêle avec de l'huile chaude jusqu'à ce qu'ils soient translucides.

Incorporer ensuite la pâte d'épices, laisser mijoter 1 minute, puis ajouter les morceaux de tomates, verser l'eau et ajouter le jus de citron, le bâton de cannelle et les feuilles de curry. Maintenant, laissez mijoter environ 30 minutes.

En attendant, lavez les crevettes, séchez-les avec du papier absorbant et ajoutez-les au curry 4 minutes avant de servir. Ensuite, retirez à nouveau le bâton de cannelle et les feuilles de curry.

Lavez les feuilles de coriandre, secouez, hachez finement et servez le curry de crevettes indiennes saupoudré.

FILET DE POULET AUX CHAMPIGNONS ET PERSIL

Portions: 4

INGRÉDIENTS

- 1 prix sel
- 2 cuillères à soupe   Persil (frais)
- 2 cuillères à soupe   huile
- 2 cuillères à soupe   Farine
- 2 pièces   Ail
- 750 ml Bouillon de légumes
- 800 G Filet de poulet
- 200 G Champignons
- 1 pc   oignon

- 1 prix poivre
- 1 coup crème

PRÉPARATION

Tout d'abord, épluchez et hachez l'oignon. Faites chauffer l'huile dans une poêle, puis faites griller les morceaux d'oignon, saupoudrez de farine et ajoutez le bouillon de légumes.

Lavez le persil, séchez-le, hachez-le et ajoutez-le. Nettoyer, laver, trancher et ajouter les champignons.

Retirer la peau et les tendons du filet de poulet, puis rincer à l'eau, sécher en tapotant, couper en petits morceaux et mélanger. Maintenant, laissez mijoter pendant environ 10 à 15 minutes.

Juste avant de servir, affiner avec un peu de crème et, si nécessaire, épaissir avec un épaississant pour la sauce. Assaisonnez avec du sel et du poivre.

BANDES DE POITRINE DE POULET ITALIENNE

Portions: 4

INGRÉDIENTS

- 600 G Filets de poitrine de poulet
- 1 prix sel
- 2 cuillères à soupe L'huile d'olive, pour la poêle
- 1 prix poivre

Pour la sauce tomate

- 300 GRAMMES Tomates pelées (boîte)
- 4 pièces Gousses d'ail
- 1 pc oignon

- 1 prix sel
- 1 prix poivre
- 1 TL   du sucre
- 1 coup Bouillon de légumes

PRÉPARATION

Lavez le poulet, séchez-le avec du papier absorbant, retirez la peau et les tendons, coupez-les en lanières d'env. 1 cm d'épaisseur et assaisonner de sel et de poivre.

Faites chauffer l'huile d'olive dans une poêle et faites revenir les lanières de poulet des deux côtés pendant quelques minutes. Ensuite, retirez la viande de la poêle et gardez-la au chaud.

Pour la sauce tomate, épluchez l'ail et les oignons, hachez-les finement et faites-les rôtir brièvement dans le rôti.

Ajoutez ensuite les tomates pelées, assaisonnez de sel, poivre et sucre, ajoutez un peu de bouillon de légumes si nécessaire et laissez mijoter quelques minutes.

Filtrer ensuite la sauce tomate (= tamis) et servir avec les lanières de poitrine de poulet.

PORRIDGE DEL MIGLIO AUX RAISINS

Portions: 1

INGRÉDIENTS

- 700 ml lait
- 1 prix sel
- 100 GRAMMES   Flocons de millet bio
- 1 Pa   Raisins
- 1 TL   sucre vanillé
- 1 cuillère à soupe   mon chéri

PRÉPARATION

Pour la polenta au millet, mettez d'abord le lait dans une casserole, portez à ébullition avec le millet et laissez mijoter pendant environ 15-20 minutes en remuant de temps en temps.

Assaisonnez ensuite la polenta de millet avec une pincée de sel, du sucre vanillé et, si vous le souhaitez, un peu de miel.

Versez le moût dans un bol, coupez ou coupez les raisins en deux et étalez-les dessus. Si nécessaire, saupoudrez un peu de cannelle moulue ou de cacao en poudre.

MILLET COMPOSE AVEC POMME ET CANNELLE

Portions: 4

INGRÉDIENTS

- 1 pc   Citron
- 250 G mile
- lait de soja
- 7 cuillères à soupe   Sirop d'agave
- 3 pièces   Pommes
- 1 TL   Poudre de cannelle
- 30 G   amandes
- 100 GRAMMES   Yaourt nature

PRÉPARATION

Rincez d'abord le millet à l'eau tiède à travers un tamis et égouttez-le bien.

Chauffer ensuite le lait de soja dans une casserole à feu moyen et incorporer 5 cuillères à soupe de sirop d'agave.

Ajoutez ensuite le millet et laissez le tout gonfler (ne pas bouillir) pendant 20 minutes en remuant de temps en temps.

Pendant ce temps, épluchez, épépinez et égrappez les pommes et coupez-les en cubes.

Ensuite, lavez et séchez le citron et frottez finement la peau avec une râpe de cuisine. Maintenant, coupez le citron en deux et pressez-le.

Portez ensuite à ébullition le jus de citron avec les 2 cuillères à soupe restantes de sirop d'agave à feu vif et ajoutez les pommes et la cannelle. Faites chauffer le tout à feu moyen pendant encore 5 minutes.

À l'étape suivante, faites rôtir les flocons d'amande dans une poêle sans huile pendant 5 minutes à feu moyen jusqu'à ce qu'ils soient dorés.

Mélangez ensuite le millet avec le mélange pomme et cannelle et aussi avec le yaourt.

Versez enfin les amandes sur la compote de millet avec pomme et cannelle et servez.

GAZPACHO CHAUD

Portions: 4

INGRÉDIENTS

- 1 pc   oignon
- 1 pc   Paprika, jaune
- 1 pc   Paprika, rouge
- 200 G courgette
- 200 G Morceaux de tomate (TetraPack)
- 2 cuillères à soupe   huile d'olive
- 1 cuillère à soupe   Thym, haché
- 450 ml Bouillon de légumes
- 25 G   Gingembre
- 100 ml Crème fraîche au fromage
- 4 cuillères à soupe   Jus de citron

- 0,5 TL Sambal Oelek
- 1 pc   gousse d'ail

PRÉPARATION

Coupez les poivrons en deux, évidez-les, lavez-les et coupez-les en cubes. Lavez les courgettes et coupez-les en petits morceaux. Mettez de côté des légumes en dés pour la garniture.

Épluchez l'oignon et l'ail et hachez-les finement.

Faites chauffer l'huile dans une casserole et faites dorer les morceaux d'oignon et d'ail. Ajouter ensuite le thym et le poivre et les courgettes hachées grossièrement, faire revenir brièvement puis incorporer les tomates. Versez ensuite sur le bouillon de légumes, couvrez avec le couvercle et laissez mijoter pendant 15 minutes.

Ensuite, fouettez finement la soupe et passez au tamis dans une autre casserole. Épluchez le gingembre, coupez-le en cubes, ajoutez-le à la soupe avec la crème fraîche et portez-le à ébullition.

Enfin, assaisonnez le gaspacho chaud avec du sambal oelek et du jus de citron, répartissez-le dans des bols, parsemez des légumes que vous avez mis de côté et servez saupoudré d'un peu de persil.

LIER AVEC SAUCE HUNTER

Portions: 4

INGRÉDIENTS

- 5 cuillères à soupe   Huile de tournesol
- 2 cuillères à soupe   Beurre clarifié
- 1 cuillère à soupe   Cognac
- 5 Schb   Bacon, mélangé
- 150 G Champignons
- 5 cuillères à soupe   Bouillon de légumes
- 1 pc   Lapin, démonté
- 1 pc   gousse d'ail
- 1 pc   Jus de citron
- 3 pièces   tomates
- 1 prix sel et poivre

- 1 cuillère à soupe   Farine

PRÉPARATION

Épluchez l'ail et passez-le dans le presse-ail. Pressez le citron et récupérez le jus.

Pour la marinade, mélangez l'huile, l'ail et le jus de citron, le sel et le poivre. Frotter et verser sur les morceaux de lapin et laisser mariner au moins 4 heures.

Nettoyez les champignons et coupez-les en morceaux de taille égale (moitié ou quart).

Blanchir les tomates dans l'eau chaude, les éplucher et les couper en petits morceaux

Égouttez la viande dans une passoire en récupérant la marinade. Sécher les morceaux de lapin avec du papier absorbant.

Faire fondre le beurre clarifié dans une casserole et faire revenir les lardons à feu moyen jusqu'à ce qu'ils soient dorés. Ajouter les morceaux de lièvre et les faire frire environ 30 minutes à feu doux en retournant souvent les morceaux.

Versez le bouillon de légumes, le cognac et la marinade. Ajouter les champignons et les tomates, couvrir et laisser mijoter encore 40 minutes.

Retirer les morceaux de lièvre, assaisonner au goût et épaissir avec de la farine.

FROMAGE MAIN AVEC

Portions: 3

INGRÉDIENTS

- 3 pièces   Fromage artisanal
- 1 prix poivre
- 1 prix sel
- 1 prix graines de cumin
- 1 coup Vinaigre de vin
- 1 Bch   Cèdre
- 2 cuillères à soupe   huile
- 1 pc   Oignon, bébé
- 1 prix Persil haché

- 1 Schb oignon rouge

PRÉPARATION

Tout d'abord, sortez le fromage de l'emballage à la main, placez-le dans un bol refermable et versez l'huile dessus jusqu'à ce qu'il brille légèrement.

Versez maintenant le cidre et une pincée de vinaigre de vin et faites mariner le fromage à la main.

Ajoutez un peu de sel et de poivre au goût.

L'ajout d'un peu de cumin soulage l'estomac du plat.

Pour la "musique", épluchez les oignons, coupez-les en très petits cubes et saupoudrez-les sur le fromage.

Maintenant, fermez la boîte avec le couvercle, retournez-la et secouez un peu pour que tous les ingrédients se mélangent bien.

Faites tremper le fromage à la main au réfrigérateur pendant 6 heures et laissez-le reposer.

Ensuite, disposez le fromage sur 3 assiettes, versez le bouillon dessus et servez saupoudré de persil.

GRUAU

Portions: 2

INGRÉDIENTS

- 200 G Gruau, très bien
- 1 prix sel
- 1 cuillère à soupe   du sucre
- 400 ml lait
- 1 prix Poudre de cannelle
- 1 TL   sucre vanillé

PRÉPARATION

Mettez le lait avec les flocons d'avoine, une pincée de sel, le sucre et le sucre vanillé dans une casserole et portez brièvement à ébullition. Remuez constamment pour que le gruau ne brûle pas.

Retirez ensuite le pot de l'assiette et laissez-le tremper pendant 5 bonnes minutes avec le couvercle fermé.

Ensuite, versez le gruau dans de petits bols et servez saupoudré de sucre et de cannelle.

GRAINS DE MAÏS AUX

Portions: 2

INGRÉDIENTS

- 100 GRAMMES   gruau
- 300 ml l'eau
- 1 prix sel
- 2 pièces   banane
- 50 GRAMMES   Mélange de fruits séchés

PRÉPARATION

Épluchez d'abord la banane et coupez-la en tranches.
Puis porter à ébullition l'eau chaude, les flocons

d'avoine et le sel dans une casserole et laisser mijoter pendant 5 minutes. Mélangez toujours pour que le mélange devienne crémeux.

Juste avant la fin de la cuisson, incorporer le mélange de fruits et laisser mijoter brièvement. Versez le mélange dans des bols et étalez-y les tranches de banane.

BOISSON DE FARINE

Portions: 2

INGRÉDIENTS

- 200 G Yaourt nature ou aux fruits
- 1 pc   Banane, super
- 4 cuillères à soupe   Gruau, copieux
- 100 ml du jus d'orange

PRÉPARATION

Pour cette boisson saine, versez du yogourt nature dans une grande tasse. (Si vous n'aimez pas tant la nature, prenez simplement du yaourt aux fruits.)

Retirez ensuite une banane de la peau et coupez-la en morceaux. Mettez ces morceaux avec les flocons d'avoine dans la tasse avec du yogourt.

Mélangez ensuite le tout finement, de préférence avec un mélangeur à immersion.

Si la boisson est un peu trop épaisse, ajoutez du jus d'orange.

Enfin, répartissez la boisson à l'avoine dans 2 verres et servez.

BANDES DE POITRINE DE POULET AU PAPRIKA

Portions: 2

INGRÉDIENTS

- 2 pièces   poivron rouge
- 1 pc   gousse d'ail
- 400 G Filet de poitrine de poulet
- 1 cm   Gingembre frais
- 2 au milieu   Thym, frais
- 4 cuillères à soupe   L'huile de colza
- 1 prix sel
- 1 prix Poivre, fraîchement moulu
- 50 ml   Bouillon de légumes

PRÉPARATION

Coupez d'abord les poivrons en deux, évidez-les et évidez-les, lavez-les sous l'eau courante et coupez-les en lanières.

Ensuite, épluchez et hachez finement l'ail. Épluchez, lavez et râpez finement le gingembre. Lavez les brins de thym, secouez-les pour les sécher, retirez les feuilles et hachez-les finement.

Retirer la peau et les tendons des filets de poitrine de poulet, rincer à l'eau froide, sécher avec du papier absorbant, les couper en lanières et assaisonner de sel et de poivre.

Faites maintenant chauffer 2 cuillères à soupe d'huile dans une poêle et faites revenir les lanières de poitrine de poulet tout autour pendant 5 minutes jusqu'à ce qu'elles soient dorées. Retirer ensuite de la poêle et réserver.

Réchauffez 2 cuillères à soupe d'huile dans la poêle, puis faites revenir les lanières de poivrons, l'ail et le gingembre à feu moyen pendant 3 minutes. Ajoutez ensuite le thym, le sel, le poivre et déglacez avec le bouillon de légumes. Faites cuire les légumes à la vapeur pendant 5 minutes.

Remettez maintenant les lanières de poitrine de poulet dans la poêle, pliez-les sous les légumes et continuez à faire frire pendant 4 minutes.

SALADE DE POITRINE DE

S.

Portions: 4

INGRÉDIENTS

- 2 pièces   Filet de poitrine de poulet grillé
- 3 Stg Céleri-rave
- 2 pièces   Carottes
- 5 pièces   oignons de printemps
- 2 cuillères à soupe   Flocons d'amande

pour la marinade

- 2 cuillères à soupe   raisins secs
- 3 cl   Sherry, moyennement sec

- 1 prix sel et poivre
- 5 cuillères à soupe   huile d'olive
- 1 prix poivre de Cayenne
- 1 coup vinaigre de vin blanc

PRÉPARATION

Tout d'abord, faites chauffer environ 50 ml d'eau, ajoutez-le aux raisins secs, puis versez l'eau, séchez les raisins secs avec du papier absorbant, mettez-les dans une tasse, versez le sherry dessus et laissez infuser.

Pendant ce temps, coupez les filets de poitrine de poulet grillés en petits morceaux.

Grattez les carottes et coupez-les en fines bâtonnets. Si nécessaire, retirez les gros brins du céleri, lavez le céleri et coupez-le en petits morceaux. Nettoyez les oignons de printemps, retirez les racines, lavez et coupez les oignons de printemps en rondelles. Mettez ensuite la viande, les carottes, le céleri et les oignons nouveaux dans un bol.

Pour la marinade, mélangez le vinaigre avec du sel et du poivre. Mélangez les raisins secs avec le sherry et l'huile d'olive dans le vinaigre et assaisonnez avec du poivre de Cayenne.

Versez ensuite la marinade sur les ingrédients de la salade, mélangez bien et servez la salade de poitrine de poulet garnie des flocons d'amande.

CONCLUSION

Si vous voulez perdre quelques kilos, le régime pauvre en glucides et en gras atteindra éventuellement vos limites. Bien que le poids puisse être réduit avec des régimes, le succès n'est généralement que de courte durée car les régimes sont trop unilatéraux. Donc, si vous voulez perdre du poids et éviter l'effet yo-yo classique, vous devriez plutôt vérifier votre bilan énergétique et recalculer vos besoins caloriques quotidiens.

L'idéal est d'adhérer à une variante douce du régime faible en gras avec 60 à 80 grammes de matières grasses par jour à vie. Il aide à maintenir le poids et protège contre le diabète et les lipides sanguins élevés avec tous leurs risques pour la santé.

Le régime pauvre en graisses est relativement facile à mettre en œuvre car il suffit de renoncer aux aliments gras ou de limiter sévèrement leur proportion dans la quantité quotidienne de nourriture. Avec le régime pauvre en glucides, cependant, une planification beaucoup plus précise et une plus grande endurance sont nécessaires. Tout ce qui vous remplit vraiment est généralement riche en glucides et doit être évité. Dans certaines circonstances, cela peut entraîner des fringales et donc un échec de l'alimentation. Il est essentiel que vous mangiez correctement. De nombreuses compagnies d'assurance maladie publiques proposent donc des cours de prévention ou paient des conseils nutritionnels individuels. Ce conseil est extrêmement important, surtout si vous décidez de suivre un régime amaigrissant où vous souhaitez changer définitivement le régime entier. La prise en charge de ces mesures par votre assurance maladie privée dépend du taux que vous avez souscrit.

9 781802 883077